定価

ダジャレ工房

山田　徹

ごまめ書房

・ここ20年ばかりの間に生まれたダジャレ、小話の類をまとめました。
・基本的に自分で考えたと信じている作品が中心ですが、仲間とのコラボから生まれたり、進化／深化した作品も含みます。
・山中湖のリゾートクラブの会員懇親会で、ここ10年ほど余興に披露してきました。
・オチの部分は、矢印以下にカタカナで表示してあります。
・多くのネタは、実際に声に出して読んだときに面白味が発揮されます。

●目次

本文イラスト＝中田好美

1　英語ネタ

（1）前夜祭

前夜祭のことを英語で、

↓「オール・ベジタブルズ」と言います。

前夜祭＝「ゼンヤ　サイ」の読み方の区切りを変えると、「ゼン　ヤサイ」となり、これを英訳すると、「オールベジタブルズ」。このように慣れ親しんだ言葉も、読みの区切りを変えてみると意外な発見があることが多いです。

（2）宅急便

宅急便のことを英語で、

↓「ピンポンエクスプレス」と言います。

ピンポンからの発想で考え付いたシャレです。後に「エクスプレス」を付けたのがポイントです。

（3）サッチャー首相

「サッチャーさんのような女性は嫌いです」を英語で、

↓「アイ・ドントライク・サッチャーウーマン」

サッチャーを〝ｓｕｃｈ ａ〟と読み替えてのシャレです。本当は〝Ｔｈａｔｃｈｅｒ〟ですから欧米人には通じませんね。

（4）アイアコッカ

アイアコッカがクライスラーの再建に取り組もうとしたときに言いました。「私はこれからルイ14世のように振る舞うぞ」。

↓「アイアムコッカ！」

ルイ14世の有名な言葉「朕は国家なり」に引っ掛けたシャレです。アイアコッカ／クライスラーはもう昔の話です。

（5）シーバスリーガル

シーバスリーガルを４本持ち込もうとしたら、税関職員に言われました。

↓「シーバスイリーガルだ！」

洋酒の関税が高くて、海外出張の帰りには皆限度一杯の３本持ち帰っていた頃の作品です。今から思うとよくあんな重い物を毎回３本も持ち帰ったものだと思います。

※イリーガル＝ｉｌｌｅｇａｌ：違法の

（6）こぼれそう！

お酒を注ぎすぎて溢れそうになったらこう言いましょう。

↓「アイアム・アフレイド！」

「溢れそう」↓〝Afraid〟との連想からの作品です。お茶を淹れてもらったときの「どうもお茶沸かせしました！」と組み合わせるとさらに面白いかも。

（7）講演

「講演する」は英語で、

↓「パーキング」

「講演」↓「公園」↓「パーク」↓〃parking〃という連想から生まれました。チョット無理があるかも。

（8）E電

それまでの「国電」に替わって「E電」という愛称を使うキャンペーンがあって、英語のキャッチフレーズが考え出されました。↓「E電と言おう！」↓「レッツセイ・イーデン」↓「レッセイ・イーデン」↓「レッセイ・イデン？」

国鉄民営化の際にJR東日本が定着させようとした愛称ですが、失敗に終わったようです。短期間しか使われなかったので、なじみのない人が多いでしょうね。時事ネタで賞味期限切れかも。

（9）どうぞご自由に！

「ご自由に！」を英語で言うと、

↓「フィフティーツー」

「ご自由に！」↓「52」↓〝fifty two〟の連想です。

(10) 福の神

「福の神」を英語で何というか?

↓福の神は英語で「トイレットペーパー」といいます。

反応は、すぐに「汚ねー!」という人と、なかなかピンとこない人の2通りです。

割と評判のいい作品だと思います。

(11) 日本の凧揚げ

お正月にアメリカ人がやって来て日本の凧揚げを見て言いました。

↓これが日本の「たこカイト」？

凧揚げというと日本ではお正月を連想しますが、アメリカでは特定の季節とのつながりはないようです。夏から秋にかけて各地で凧揚げ大会が開かれているようです。

⑫ロンドンのチャリングクロス駅で

チャリングクロス駅の近くを歩いていたら、前を自転車が横切りました。

↓あ、「チャリンコクロス」だ！

チャリングクロス駅は、ロンドンに十幾つあるターミナルの一つで、随一の繁華街であるピカデリーサーカスに最も近い駅です。駅周辺も人通りが極めて多い。数年前にツアーでロンドンに行って前を通りかかったときに思いついた作品です。あるイギリス通の先生に、最も印象に残った作品だと言われました。

(13) ヴィンテージ

数年前にイギリスを旅行したときのことです。デヴォン州にあるアガサ・クリスティの別荘「グリーンウェイハウス」に連れて行ってもらいました。道が狭いので小型のボンネットバスに乗り換えなければなりません。

70年くらい前の年代物のオンボロバスなのですが、ガイドがさもありがたそうに「ヴィンテージバス」だと何回も説明をします。

↓そこで言ってやりました。「ジス・イズ・ア・ヴィンテージバス。アンド、ジス・イズ・マイ・ヴィンテージワイフ!」

運転手もガイドも大笑い。ところがガイドがはっと気がついて言いました。「そうよね。年を取るとだんだん綺麗になって行く女の人っていますもんね！」。挽回しようと必死のフォローでした。

※ビンテージ＝ｖｉｎｔａｇｅ：年代もの。年月を経てほどよく味わいが出たもの。上質ワイン

（14）離婚

離婚しようとしたけれど考え直すことを、
↓「リコンシダー」と言います。
また、離婚した夫婦がヨリを戻すのを、
↓「リコンバイン」と言います。

　これを聞いてた先輩が言いました。じゃあそれを確認するのは「リコンファーム」だ。また離婚契約のまたの名は「バイバイ契約」です。

※リコンシダー＝ｒｅｃｏｎｓｉｄｅｒ：考え直す。リコンバイン＝ｒｅｃｏｍｂｉｎｅ：再結合する。リコンファーム＝ｒｅｃｏｎｆｉｒｍ：再確認する

2　外国語ネタ（英語以外）

（１）ドイツ語で

ドイツ語で「ありがとう」をダンケと言います。
お坊さんが「ありがとう」と言うときは、これが活用して、
↓「ダンカ！」になります。
２人連れのことをツバイと言います。
↓男女ペアの場合は「ツガイ」になります。
犬はドイツ語でフントです。
↓犬が１００回ウンチをすると、「フンデルト」になります。

※ダンケ＝danke、ツバイ＝zwei、フント＝hund、フンデルト＝hundert：百

（2）スペイン語で

花粉症で鼻炎が深刻になったことを、

↓「ムイビエン」と言います。

スペイン語の「ムイビエン（muy bien）」は英語の〝very good！〟に相当する言葉で、非常によく使います。スペインに行ったことはありませんが、テレビで見る限り、花粉症の人はあまりいそうもないですね。

（3）イタリアのミラノで

ミラノのタクシー会社の電話番号は「８５８５」で、これはイタリア語で「オッタンタ・チンケ、オッタンタ・チンケ」となります。

ミラノには中央駅以外に北駅もあります。ミラノ・ノルドです。

そこで、北駅までのタクシーを呼んでもらうには、

→「オッタンタ・チンケ、オッタンタ・チンケ。ノルド！」

40年ほど前に出張でミラノに立ち寄って食事をした後、商社の駐在の方がタクシーを呼んでもらうのにニヤニヤしながら「オッタンタチンケ、オッタンタチンケ」と言ってました。ミラノでは８５８５がタクシーを意味します。それにミラノ北駅を結び付けてみました。ただし、当時の北駅は、その後カドルナ駅と名称が変わったようです。※85＝ottantacinque

（4）フランスの犬

フランス語で犬のことを「シアン」といいます。

犬がどこでウンチをしようか考えています。

↓「シアンのしどころ」です。

　フランスでは犬の飼い主がふんの処理をしないそうで、散歩の際には十分な注意が必要です。そうなると、フランス語と犬のふんの組み合わせは納得のゆくものと言えますね。

※シアン＝ｃｈｉｅｎ

3　数字ネタ

（1）洗剤
センザイが10個集まると、
↓「マンザイ」になります。

このシャレを言う機会はなかなか訪れませんので「千載」一遇の機会を逃さないように！

（2）千疋屋

センビキヤが10軒集まると、

↓「マンビキヤ」になります。

ネットで調べたら千疋屋の店舗は20軒ほどありました。万引2回分に相当します。

（3）お国自慢

東京都民が横浜市民にこう言って自慢してました。
↓「トミンの方がシミンより2・5倍偉いんだぞ！」
これを聞いていた地方出身者がこう言いました。
↓何言ってるんだ、それなら俺なんか「チョウミン」だぞ！

「都、市、町」を「十、四、兆」と読み替えての作品。馬鹿らしい作品ですが、たまに真剣に感心してくれる人もいました。

（4）バイアグラ
胡坐を2回かくと、
↓「バイアグラ」になります。
バイアグラが2つ集まると、
↓「フォアグラ」になります。

お世話になったことはありません。そういえばフォアグラにも数えるほどしかお世話になっていませんね。このなかでは唯一胡坐(あぐら)だけが身近な存在です。

（5）夜這い

夜這いを2回やると、

↓「ヤバイ」になります。

夜這いには縁がありませんでしたが、同じ「四バイ」でも芝居はときどき観に行ってます。

（6）「さん」づくし（①から⑩まで、声に出して！）

①「イサン」をもらった
②「ニイサン」が
③「サンザン」使って
④「シサン」を無くし、「ヨサン」が狂って
⑤「ゴサン」になって
⑥「ムサン」になって
⑦何をか「ナサン」
⑧「ハサン」したって（あるいは⑦⑧とつづけて、「シチヤサン」）

⑨「クサン」など

⑩「トウサン」が慰めてくれました！

自分ではけっこう気に入っている作品ですが、ちょっと独りよがりかも。ただし、⑦のところがイマイチですかね。

(7) 計算機

計算機が3台あります。さあ数えましょう！

↓1基、2基、「ケイサンキ！」

オマケ：計算機を貸したのに返してくれません。↓さては「ケーサンキ」だな！

4 短い小話

（1）大は小を？

大は小を兼ねる。

↓「ダイワショーケン！」

この作品を披露したら、ある女性から「あなた株に詳しいの？ 大和証券がいいの？」と真顔で尋ねられました。単なる言葉遊びなんですけどね。

（2）ラブミーテンダー

ラブミーテンダー？

↓「ナニイッテンダー！」

カラオケで「ラブミーテンダー」を歌った人に向かって言ったシャレです。残念ながら「ラブミーテンダー」（およびその日本語バージョン）はカラオケ以外では言ったこともことも言われたこともありません。

（3）機内食

飛行機で出される食事は裸で食べましょう。

↓「キナイショク」

旅行中に添乗員にこのシャレの後、「昔マザコン、今ツアコン」と言ったらそちらの方が受けました。添乗員↓天井員というシャレはありふれているようです。

（4）薬剤師

ヤクザが医師の免許を取ると、薬局も開業することができます。

↓「ヤクザイシ！」

そのほかお医者さん関連では、「歯科医」↓「司会」、「ハイシャ復活戦」、「整形」↓「政経」、「内科」↓「無いか？」、「イシハクジャク」などがネタとして使えます。

（5）加湿器

加湿器を買ったら、おまけにお菓子がついてきました。

↓「カシツキ！」

靴を買ってスペアの靴紐が付いてきたら「ヒモツキ」ですかね？

（6）沖縄のへび

沖縄で歯を磨いているとへびが出てきました。
↓どうもこれが「ハブラシー！」

沖縄旅行中に乗った観光バスのガイドさんがシャレ好きの女性で、それに刺激を受けて生まれた作品です。受診してる歯科医の先生にも披露して呆れられたことがあります。辛口批評の同級生に受けた数少ない作品の一つでもあります。ところで、沖縄の那覇空港は「ハブ」になれるかな？

（7）禁酒のための運動

禁酒中の人にお奨めの運動は、

↓「サカダチ」です。

おまけに逆立ちしながら歌でも歌いましょう。「サカダチの花がさいたよー！」

（8）かわいそうなタワシ屋

かわいそうなタワシ屋さんに呼びかけることば。

↓「オイタワシヤ！」

現実にこんな場面に遭遇することはまずありません。頭の中で言ってみてニヤッとする類の作品です。

（9）　頭から血を出している人

頭から血を出している人を見たらこう思いましょう。

↓この人は「頭のキレル人だ！」

逆にもし「あなたは頭が切れるね！」と言われる場面があったら↓「そうなんです。頭が切れて、いつも血を流してます」と軽く、和やかに受け流せます。

（10）退職したら

会社を辞めたらたくさん食べるようになりました。

↓「タイショク」です！

退職したらまずおめでとうと尾頭付きを！　「鯛食」です。

(11) 障子の前の和服姿

障子の前に和服を着て座っている女性を見たら、こう思いましょう。

↓この人は、「ショウジキモノ」に違いないと。

お正月に販売店の新年会の座敷に顔を出したら、社長の奥様が和服姿でいらしたので飛び出した作品です。障子の部屋も、和服の女性も少なくなったので、「正直者」も減ってきているのでは?

（12）オリンピック精神

オリンピックの選手村では、酸化しかかったワインが出されることがあります。

↓我慢してください。「サンカする」ことに意義があるのですから。

勤務していた会社にワインを輸入している部署があったので、浮かんだ作品です。近年のオリンピックではクーベルタン男爵の「参加することに意義がある」精神はどこかに行ってしまったようです。

(13) ランの下でデート

ランの花の所で待ち合わせをしました。一人がオナラをしました。

↓「ランデブー!」です

昔は蘭の花は滅多に見られませんでしたから、「ランでブー」の場面はほとんどなかったかも。今ならこういう場面も実際に見られるのでは?

(14) アンズと桃

アンズと桃ではどちらが高いでしょうか？　アンズの方が高価です。

↓「アンズよりモモがやすし」

8年目に赤ちゃんが産まれたら、「モモクリ3年、ガキ8年」です。ちょっと品がないかな？

（15）次男坊

２人目は女の子が欲しかったのですが、また男の子でした。

↓女房曰く。「イチナン去ってまたイチナン！」

実際我が家は２人とも男の子です。最初にこのシャレを聞いたとき、女房は「なんで一難なのよ!?」とちょっとむっとしてました。

（16）ヤキブタ？

街の看板に「ヤキブタ茶」と書いてあったので何かと思ったら、

↓「ヤブキタ茶」の間違いでした。

そういえば、誰か「パチンコ屋」の看板の「パ」がなくなっているのを見たことがあるとか！

（17）コラーゲン

女の子はコラーゲンと聞くと目の色を変えて、独り占めしようとします。

↓誰にもあげない。「コラアゲン！」

コラーゲンを食べたからといって、それが即肌に効果及ぼすことはないと聞いてますけどね。宣伝にうまく乗せられてる感じがしますね。これもしばらくしてからハタと気づいて笑う人がいるタイプのシャレです。

(18) 落ち葉

晩秋になると歯科医でかぶせたり、詰めたりした歯が外れることが多いです。

↓「オチバの季節」ですから。

実際、数年前の秋に詰めたり被せたりしたものが次から次に脱落したことがありました。かかりつけの歯科医の看護婦さんにこれを言ったら気の毒そうな顔はしたけれど、残念ながらウケは取れませんでした。

(19) カラスを美味しく食べるには?

カラスはこんがりと黒焦げになるくらいに焼きましょう。

↓「カラスミ」になって美味しく食べられます。(これはオオボラです!)

生ごみを食い散らかすカラスの害を減らすには?↓美味しく食べられれば密猟(?)が盛んになって、カラスが減るのではと考えての作品です。

⒇　寿司職人

寿司職人にはゲイが多いそうです。

↓「オス」がなくては生きていけないから。

寿司屋の主人に言ったら感心してくれたことがありました。関連して、あるお宅にお邪魔をしたとき、酢のありかがわからずに、女性２人が探すことになりました。

↓そこで一言。メスが２人でオスを探しているなあ！

（21）不登校の児童

学校に行きたがらない子供はロシアに送りましょう。大歓迎されるはずです。

↓ロシアは昔から「フトウコウ」が欲しくてたまりませんでしたから。

半世紀前の社会科の授業では、ロシアが不凍港を獲得することを最重要事項の1つにしていたと習いました。地球の気温が上がって、北極航路の話がでるようになった現在では、「フトウコウ」児童は欲しくないかも。

（22）遠藤周作

遠藤周作はよく韓国人と間違えられたということです。

↓「コリアン？」

狐狸庵先生（遠藤周作）などという呼び方は、現在の若者には通じないでしょうね。

(23) NTTドコモの子会社

NTTドコモの子会社は、

↓「NTTコドモ」です。

単なる言葉遊びですが、考えすぎてわかってくれない人もいました。

（24）紫式部

源氏物語の作者は、紫色のシーツを使っていました。

↓「ムラサキシキフ」

ついでに、よく枕の掃除（マクラノソージ）をする人は、清少納言です。

(25) 小豆島

小豆島の隣に、噴火で大きな島が誕生しました。

↓小豆島より大きいので「オードシマ」と呼ばれるようになりました。

新しく誕生した「オードシマ」に観光用のタワーを建設しました。↓あ、トウガタッテル！

(26) パスポートの代わりに

終戦直後、アメリカへの渡航に限ってパスポートの代わりに日本固有の証明書が有効でした。

↓「ベイコクツーチョー」です。

戦後しばらく、お米が配給制だったころの話です。その統制が緩くなって、いわゆる「闇米」が「自主流通米」という名称で売られるようになったのを覚えてます。中年以上にしか受けない作品ですね。

(27) 国際人

あなたは国際人。

↓私は「コ」がなくて「クサイジン」！

同じく1文字外した品のない作品。チェロを習っている友人に、「お前はチェロ、俺はエロ！」

(28) 抽選会

ある抽選会で賞品にビデオが出ました。

↓「アタルトビデオ!」

一瞬考えてからどっと笑いがくる大好きな作品です。最初にこれをやると聴衆の気持ちをこちらに引き付けることができます。セクハラだと言われる可能性もありますが、自分の作品のベスト3に入ると思ってます。

（29）押すだけ

男性だけのグループが写真を撮ってもらうときには、こう声を掛けましょう

↓「オスダケー」

男だけの飲み会の最後に、店の人に写真を撮ってもらうときによく言ってました。

(30) エレベータの定員オーバー

乗りすぎてブザーが鳴ったら、
↓まず全員片足をあげましょう。それでもダメなら、
↓各自1人ずつオンブしてみましょう。

考えてみたら、各人が片足を上げるのと、一人ずつオンブするのではどちらも同じ半分の重さですね。でも体重の軽い人が重い人をオンブすればより効果があるのでは？

（31）固めの盃

固めの盃はウインクしながらやりましょう。

↓「片目」の盃

オマケに。固めの盃や誓いの言葉は地下の宴会場で行いましょう。↓「チカイ」の言葉！

（32）ミャンマーにカジノ？

ミャンマー（旧国名：ビルマ）でカジノが開設されることになりました。

↓「ビルマのカケゴト」

40年近く前の話ですが、飛行機が途中ラスヴェガスの空港に立ち寄りました。空港ロビーにはしっかりスロットマシンが設置してあり、友人が運よく何十ドルか儲けて、その後の機内でビールを奢ってもらったことがありました。

（33）忠臣蔵の照明は？

忠臣蔵を上演するときは、丸い蛍光灯を使いましょう。

→周りが明るくて、「チュウシンクラ！」

オマケ。勘平がおかると酒を飲んでいました、勘平が言いました「おかる、カンペー！」

(34) カラスの糞

カラスの糞の害が問題になっています。洗濯ものにカラスの糞をかけられた奥さんは、

↓「フンガイ」します。

我が家の近くのゴミ出し場所も、最近まで網かけ方式だったのでカラスの格好のエサ場になってました。最近組み立て式のゴミ収納ネットになって大幅に改善されました。

(35) 塩野七生の読み方は?

塩野七生のエッセイはカラクチです。

↓辛口なので「シオノ・シチミ」と読む方が妥当では?

塩野七生のローマ(イタリア)を舞台にした作品は読みごたえがありますね。ローマ帝国の統治手法には学ぶ点があるという著者の見解には納得できる点が多々あると思います。

(36) ノアの箱舟

ノアの箱舟の船長が言いました。
↓ノアを「ハコブネ！」

地球温暖化による大洪水が起きて、本当に箱舟が必要になることがないよう願ってます。

（37）リストラされそうな人は

リストラされそうな人はシルクのネクタイは避けましょう。

↓シルクは「カイコ」に繋がります！

昔はリストラなんていう言葉はなかったですね。もっと直接的に「首切り」と言っていたような気がします。同じ内容でもカタカナにすると刺激が弱まるのかなあ？

（38）万博

タイの首都で万博が開かれました。

↓「バンコク」博覧会

タイが発展して本当に万博を開催できるようになればいいですね。

（39）年老いた彼氏

若い女の子の「彼氏」にしてもらいましたが…。

↓「カレシも山の賑わい」といったところでした。

我々の世代は、彼氏の「カ」にアクセントを置くと思いますが、最近はカ・レ・シとフラットに発音するようですね。お陰でカレシ↓枯れ木という発想につながりました。

(40) 年老いた愛人

愛人も年老いてくると髪の毛が薄くなって…。

↓「アイジンカツラ」になってしまいます。

「愛染かつら」などという小説は若者にはなじみがないでしょうね。

(41) 悪妻

悪妻を英語で何と言いますか？

↓悪妻は英語で「マイワイフ」と言います。

20年ほど前の作品で折に触れて披露してきましたが、10年程前に女房にこう言われました。「私が隣にいるときだけは、あのシャレは勘弁してほしい。さすがにツライ」と。

なかにはこのシャレを全く理解しないヤツもおりまして、「山田、なんでそれが面白いんだ」と喰ってかかられる始末。コイツの奥さんはほんとに「マイワイフ」かもしれないと思ったりして…。

(42) 婚期

婚期を逃してしまいました！

↓大丈夫「ライキ」があるから！

婚期を逃さないようにするには、コンキよく女性と付き合うことです。

5　一口話

（1）パン屋のミュージカル

パン屋さんを主人公にしたミュージカルをつくりました。

↓タイトルは、ウエストサイド・ストーリーに対抗して「イーストサイド・ストーリー」としました。

・オマケ：なおこのタイトルは「コウボ」によって選定しました。

60年代後半、「ウエストサイド物語」は大ヒットしたミュージカル。そのなかの「トゥナイト」という曲が特に有名ですね。作曲者のバーンスタインはカラヤンと人気を二分する指揮者でもありました。東京文化会館の4階席から彼がマーラーの「交響曲第9番」を指揮するのを聴きました。

（2）統計学者

ある統計学者が男性のアソコの長さに興味をもち、データを集め始めました。何千人もの男性のサイズを測ってグラフにすると、12・5センチメートルをピークにした左右対称のカーブができました。

↓それ以来このカーブのことを「セイキブンプ」と呼ぶようになりました。

「正規分布」という用語を知ってないとちっとも面白くありませんね。ちょっとセクハラ気味？　12・5センチについては異論があるかも。

（3）最後の晩餐？

キリストが最後の晩餐を取ろうと弟子にレストランの予約を命じました。ところが弟子は間違えて昼食を予約してしまいました

↓「最後のゴサン！」

ヒット作のひとつです。会社の同僚に伴君がいました。打ち合わせのとき、彼が最後に現れると、「最後の伴さん！」。40年近く前にミラノの教会で、修復中の「最後の晩餐」を見ました。予約なしで入れました。現在は修復が完成して見学は予約制になっているらしいです。

（4）ナン

カレー屋でランチを食べたら、サービスでナンが少し付いてきました。このナンの出来が悪かったので店に文句を言いました。

↓店の人曰く。お客さん、しょうがないでしょう。元々「少々ナンあり」ですから。

ランチにナン食べ放題と謳ったインド料理店をよく見かけます。食べ放題なら「少々ナンあり」でも仕方ないかも。

（5）イトーヨーカドー

イトーヨーカドーに買い物に行く打合せをしていました。

一人が言いました。私、六日は都合が悪いの！

↓もう一方が言いました。じゃあ「ヨーカドー？」

ヨーカドーが出たのでイオンでも一言。マイナス・イオンを売りにした空気清浄器を発売しましたが、赤字になってしまいました。↓イオンがマイナスです。

（6）古今の名著

マルコポーロが山梨県にやってきて「ほうとう」を食べました。

↓この時の印象を元に書いたのが「ホートー」見聞録です。

アレクサンドル・デュマが34歳のときに書いた有名な小説が、

↓「サンジュウシ」です。

杉田玄白が岩波新書のために本を書きました。

↓これが好評で、その年の「カイタイ」新書のナンバー1に選ばれたということです。

大学生の頃、世界の名著というシリーズが発刊されて月に1冊ずつ配本されました。親に買ってもらいましたが、結局ほとんど読みませんでしたね。

（7）太めの花嫁

太めの花嫁が持つバッグは、
↓「エルメス」です。
太めの花嫁は、化粧直しでなく、
↓「ケショウマワシ」をします。
太めの花嫁がカラオケで歌うのは、
↓「ヨコハバタソガレ」です。

愛嬌があっていい奥さんになるかも。

（8）諸子百家

孔子曰く。↓「コーショウ」

荘子曰く。↓「ソーショウ」

孫子曰く。↓「ソンシチャッタ！」

墨子曰く。↓「ボクシラナイ！」

孟子曰く。↓「モウシワケナイ。モウシマセン」

昔は牛の子供がしゃべったんだそうです。↓「コウシ曰く！」

（9）車いろいろ

働き過ぎの人のための車

↓「カローラ」

危ない運転をする人のための車

↓「ヒヤット」

運転がうまいと自慢していた人が、ベンツをぶつけてしまいました。

↓「ベンツマルツブレ」です。

カードローンで車を買ったら、すぐに盗難にあってしまいました。

↓「カー・ドロン」です。

(10) ありそうでないもの／なかったもの
アンテナのついた「ムセンマイ」
「冷やしナベヤキウドン」
虎の出てくる「タイガー」ドラマ
急行「越中」

昔、急行「越前」や「越後」はあったのに、「越中」はなかったですね。

(11) お茶／コーヒー

お茶を淹れてもらったらこうお礼を言いましょう。

↓どうも「オチャヤワカセしました！」

カフェオレを2人で飲むときは、

↓複数にして「カフェ・オレタチ」と注文しましょう。

高校の英語の先生が言ってましたね。先生はお茶ばかり飲んでいるから「ティー、チャー」だと。

（12）プロ野球の監督

広岡監督の洋服を着ると疲れが取れます。

↓「ヒロオカ・イフク」

古田監督を解任したヤクルトの経営陣は、

↓「フルタ・ヌキ」です。

野村監督がうつ病になりました。

↓「ノムウツ」です。

昔、広島の古葉監督が就任するとき、もう一人の候補として左腕の大庭投手が挙げられたんだそうです。

↓「オオバカ、コバカ?」

テーマがちょっと古かったかも。昔は夢中でプロ野球のTV中継を見て、TV中継が終わると、続きをラジオで聴いたりしたこともありました。見るスポーツとしては野球と相撲くらいしかなかったけれど、相撲は年6回だけでしたからね。ところで相撲の千秋楽の最後に「君が代」が歌われますが、妹は小さいころ「君が代」のことを「相撲の歌」と呼んでました。

（13）傘

雨が降るか降らないか迷っているとき、
↓「カサフランカ？」と言います。
大した降りでなく、傘をさす人が少ないようなときは、
↓「サシて降ってない」
傘をさしながら子供を寝かしつけるときに歌うのが、
↓「コーモリ歌」

傘を借りに来た友人に意地悪をして、「カサナイ！」

(14) 頭の薄い人の会話

頭の薄い人が2人で何か大声で言い合っていました。

↓これを見ていた一人が言いました。きっとあれは「ケナシアイ」だ！

↓もう一人が言いました。そんなことはない、あれは「ハゲマシアイ」だ。だって二人とも「ケナゲな」人なんだから。
・オマケ：頭の薄い人は正社員になってはいけない。ずっと「ハゲンシャイン」でいるべきだ！

これもヒット作です。覚えようとメモを取った人が何人かいます。私も相当髪の毛は薄くなってます。結婚前に女房には、俺は母親似だから、白髪にはなっても禿げることはないだろうと言っておきました。それがこのザマ。女房から「サギだ！」と言われてます。

(15) 冬の急行列車

冬の朝、急行列車の車掌が何十年ぶりに旧友に出会いました。
そこで車掌は暖房のスイッチを入れました。
↓これで「キュウコウを温める」ことができました。

運悪く夏の急行で出会った場合は、冷たく別れることになるのかも!?

(16) 愛の結晶

世の中では赤ちゃんのことを「愛の結晶」などとしゃれた言い方をしますね。

我が家の場合は、そんな大それた言い方はとてもできませんでした。

↓せいぜい「愛のジュンケッショウ」がいいところです。

あるいはもっと出来が悪くて予選落ちかも!

(17) 理科系？　文科系？

あの人はきっと理科系だと思っていたら、意外にも文科系だったりします。

↓「人はリカケイに拠らぬもの！」

また、あの人は真面目な人だと思っていたのに、意外にもお妾さんがいたりして…。

↓「人はメカケに拠らぬもの！」

外見に惑わされることはよくあります。でも外見のいい人は羨ましい！

(18) 造り酒屋で

温度計のなかった昔、最終段階で腐敗防止の加熱殺菌をするに際し、杜氏が腕を突っこんでやっと3回まわせる温度を目安にしたということです。

↓「トウジ」は大変だったんだ！

新酒ができたことを知らせるために、店頭に杉玉を掲げます。ある年、この杉玉を作り過ぎてしまいました。そこで作り過ぎた杉玉を杉の酒樽の上に載せて反省しました。

↓「スギたるは…」

これは山梨県のある酒蔵を見学したときにできた作品です。オマケ：最後にお酒の試飲をさせてくれましたが、参加者全員静かになりました。↓シーン！

(19) 田中耕一さんの弟たち

ノーベル賞を受賞した田中耕一さんには弟が2人いました。
↓3歳下の弟が田中「チューイチ」
↓9歳下の弟が田中「ショーイチ」です。

田中コーイチというのはよくある名前です。取引先にも一人いました。

⒇ お酒をたくさん
お酒をたくさん飲みたい人は、
↓「イッショウ」のお願い
それよりたくさん飲みたい人は、
↓「ゴショウ」だから

飲んべえの同僚が大田区の六郷土手に引っ越しました。すると「六郷土手」が「一升土手」という名称に変わりました。

(21) もう6時

「今何時?」と尋ねたら、「耄碌《もうろく》じじい」との回答。何を!と思ったけれど、よく聞いてみたら、

↓「もう6時」でした!

小さい頃は70歳などというのは、すごい年寄りだと思ってました。現在71歳。昔の基準で言えば、耄碌じじいと言われてもおかしくない年ごろです。ちなみに60歳の時、初めて電車で席を譲られたときはショックでした。

(22) スーパー銭湯

最近スーパー銭湯という看板を見かけるようになりました。

でもまだ数は少ないそうです。

↓お風呂屋さんのなかで、ほんの「スーパーセント」だと言ってました。

銭湯は少なくなりました。小学校時代の同級生の一人が銭湯の息子でしたが、ここも廃業してしまったようです。ところで銭湯を開けるときは「セントー開始！」といいます。

（23）朝の散歩で俳句？

友人が70歳になって俳句を始めました。

毎朝食事前に散歩しながら俳句の題材を探すのだとか。

↓こういうのを「ハイカイ老人」というのですね。

実際に70歳になって俳句を始めた友人がいます。このシャレは彼にも好評でした。

(24) 花粉症友の会

花粉症友の会の会合は水曜日に開かれます。

↓ハナの水曜日↓「ハナミズ！」

花粉症友の会のテーマ音楽は？

↓「ハクションの湖」です。

花粉症とは40年くらい付き合っています。薬は嫌いなので飲みません。ピーク時には会社で1日でティッシュ1箱を消費したこともあります。マスクをして寝ると多少楽なようです。

（25）余興として

　1人でガッショウをやります！

↓両手を合わせて合掌！

↓なお、ただ今のはメンデルスゾーンの無言歌でした！

　これは我が父親の作品です。父親は晩年の7年を横浜の我が家の近くのマンションで過ごしました。そこの電話番号が、045－439－5512でした。これを「オヨゴー、ヨサク、ゴゴイチニ」と読むと教えたら、喜んで使ってくれました。

（26）消費生活アドバイザー

昔、後輩の女性社員が言いました。「山田さん、私、『消費生活アドバイザー』の資格を取りましたよ！」

↓ああそう。俺なんか「飲酒生活バドワイザー」だもんね！

知り合いのダジャレの好きな弁護士先生が一番気に入ってくれた作品です。私も大好きな作品です。

（27）３人並んで（その１）

鈴木さん、大井さんと会社の帰りにバーに行きました。「マイタイ」というカクテルが出ました。

↓私のネクタイ、鈴木さんのネクタイ、大井さんのネクタイを順番に指さして、マイタイ、ヒズタイ、オオイタイ！

40年ほど前、マイタイというカクテルを初めて飲んだとき、大井さんも一緒だったので生まれた作品です。

(28) 3人並んで (その2)

女房の友達と3人で。その友達は大学で歴史専攻、女房は英語学専攻。
↓そうすると友人、女房、私の順に、「シガク」、「ゴガク」、「ムガク」とうまく並びました。

これも40年ほど前、女房の友人が来訪した折に浮かんだ作品です。話が「ナガク」なって、「ヤガク」で「クガク」する友人の話で盛り上がりました。

6 動物／魚介類編

（1）サキイカ

「サキイカがホシイカ？」

↓「ホシイカ？」「アタリメだろう！」

烏賊を見るたびに食べる人は胃が大きくなります。烏賊食っちゃおう！↓烏賊くっちょう！↓イカクッチョー！↓胃拡張！

（2）カキ

カキを採取することを、
↓「カキアツメル」と言います。
カキが古くなると、
↓「ワルガキ」になります。
ワルガキになるのを避けようと冷蔵庫で冷やし過ぎると、
↓「カキゴオリ」になります。

大きなカキを食べたいなら岐阜県の大垣へどうぞ！

（3）カニ

よそを向いてる隙に隣の人にカニを食べられてしまったら、こう言いましょう。

↓（ホッペタをピシッとたたきながら）「カニクワレタ！」

カニが出されると皆夢中になって飲み会の場が静まります。私は面倒くさがりなので、どうもカニは苦手です。私の一番好きなカニは缶詰のカニです。

（4）土壌改良剤

土壌改良剤をドジョウにかけると、
↓改良されてウナギになります！？

ドジョウが改良されてウナギ並みの味になったら、稲刈りの済んだ田んぼでドジョウの養殖が始まるかな？

(5) サラブレッド

パンをお皿に載せて、

↓「サラブレッド！」

馬鹿な人間がお皿の上に乗って「サラグドン」なんてのもありますかね？

（6）隣に羊

ある人が、座るときはいつも羊を脇に連れて来させていました。なぜかと尋ねたら、

↓これが私の座右の「メイ」です！

お気に入りの姪っ子をいつもそばに置いておきたい場合も、「座右の姪」ですね。

（7）フクロウとミミズクの違い

ミミズを食べるのが、
↓「ミミズクウ」
ミミズクの母親が、
↓「おフクロウ」です。

ミミズクとフクロウの定義はいろいろあるようです。私のが新たに採用される可能性はゼロです。

（8）キジのメス

キジのメスは遠くから見るとハトと同じように見えます。でも大丈夫、キジにはちゃんと印が付いてますから。

↓「キジルシ」が！

キジ達が集まって会議をする場所を「国会キジ堂」と言います。

7

病気／薬編

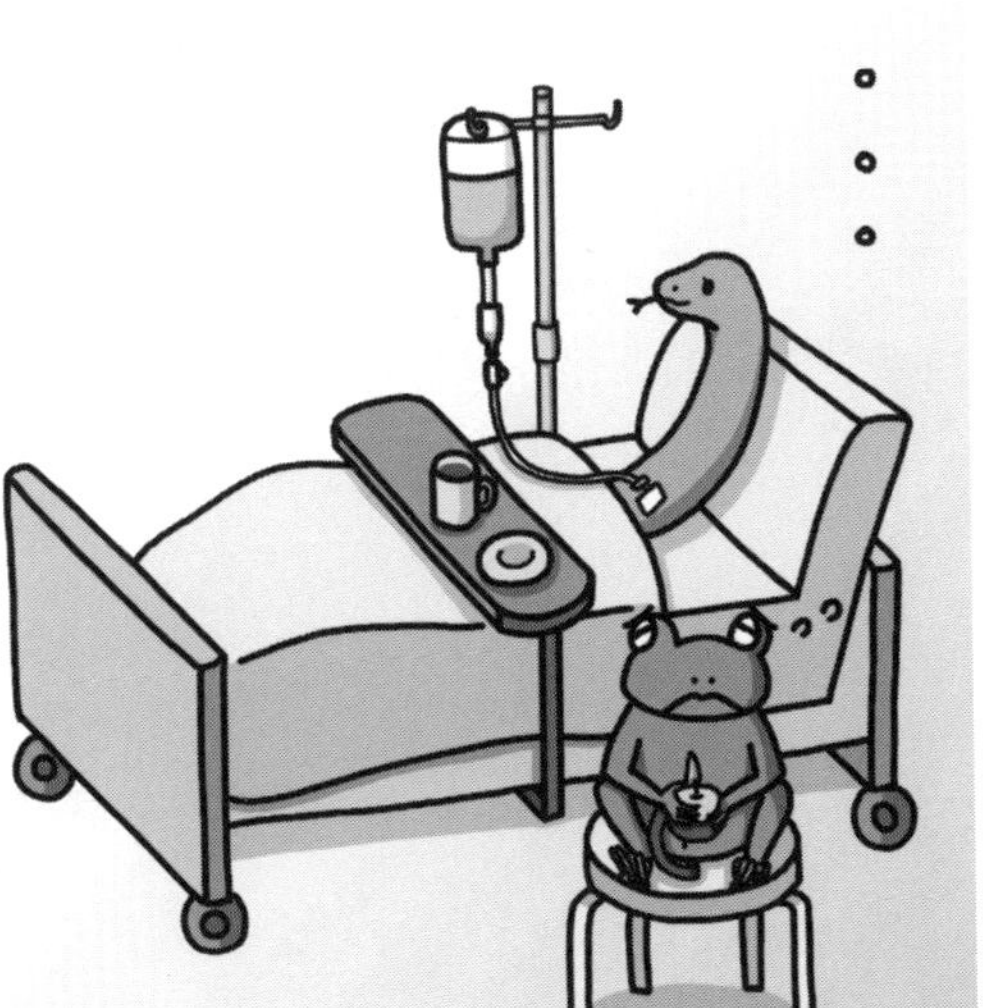

（1）かかりやすい病気

成績が悪くて、全く「優」の取れない人。

↓「ムユウビョウ」

ＳＬの運転士にインタビューした人。

↓「キカンシカタル」

高速道路建設に反対している人。

↓「ノーコーソク」

学校を休んでばかりいる人。

↓「ケッセキ」

・オマケ1：結石で悩んでいる人が海釣りに行って釣れる魚は、
↓
「イシモチ」です。
・オマケ2：治療で無事結石が出てきたら、
↓
「シュッセキ」です！

「ムユウビョウ」の人の成績表は可と不可ばかりが並んでいます。この人の好きな作家は？↓もちろんカフカです！

（2）太田胃散

火事のときは太田胃散で、
↓「ショウカ」しましょう。
消火が間に合わないときは太田胃散をもって避難しましょう。
↓「オオタイサン！」
太田胃散の海外販売のキャッチコピーは、
↓「太田胃散を世界イサンに！」

「いい薬です！」のコマーシャルは海外でも浸透するかな？

（3）製薬会社

製薬会社の研究者にとってのバイブルは、

↓「シンヤクセイショ」です。

新薬を市場に出すまでにはいろいろと「セイヤク」があって大変だと、ある研究者は言ってました。

（4）点滴

女房が体調を崩して病院で点滴を受けてきました。

改めて認識しました。

↓やはり女房は「テンテキ」だったんだと。

飲んべえの人に、オプションでアルコールを添加した点滴液を用意してくれる病院があったら流行るかも？

（5）長男、次男

私は、食べ過ぎたり、飲みすぎたりすると必ず後で下痢をします。

↓これが「アトピー」です。

体質的に腸が弱いようですが、もう一つの理由に気づきました。

↓私は「チョウナン」でした。

↓それならお尻に難があるのは「ジナン」ということになりますね。

親が誕生を届ける際に、欄を間違えて名前のところに次男と書いて、それがファーストネーム（次男：ツギオと読む）になってしまった人がいます。長男と書いて「ナガオ」になった例は聞いたことがありません。次男は軽視されるのかな？

（6）認知症

認知症になりやすいのは、

↓「ボケー家族」の人に多いです。

仕事の途中で認知症になった人がいたら、「ニンチヒッター」を起用してください。

（7）大腸の内視鏡検査

内視鏡を挿入する際に、看護婦さんが声を掛けます。

↓「ゴチョウナイの皆様！」

1回だけ大腸の内視鏡検査を受けたことがあります。ただし、実際に内視鏡を挿入する頃には麻酔が効いて朦朧状態で、看護婦さんのこの掛け声は聞こえませんでした。残念！

（8）口にヘルペス

風邪を引いた後に、唇にヘルペスができました。
↓「お前は口が悪い！」とよく言われるのはこのことだったのかと納得した次第。

私には首から上で悪い点が3つあると自覚してます。顔が悪い、口が悪い、それに頭が悪い！

（9）おしりの病気のお見舞い

与党の国会議員がおしりの病気になったら、ミントを持ってお見舞いに行きましょう。

↓「ジミントー！」なんちゃって。

ちょっと顰蹙ものの作品？　政権交代があると、この作品は成立しなくなりますが、そこまでは心配しないでおきます。

（10）おしりの病気を気にする人は？

おしりの病気を気にしすぎる人は、

↓「ジイシキ過剰」といいます。

自意識は多少あってもいいけど、できれば痔意識はもちたくないですね。

(11) お薬仲間

歳をとってきて仲間の多くが何らかの薬を飲むようになってきました。幸いなことにこちらは何の薬も飲んでいませんが、仲間に入るために、

↓「クスリ」と笑うことにしました。

最近何度か処方箋を持って薬局に行くことがありました。その都度「お薬手帳はお持ちですか?」の問い。「持ってない」と答えると、「お作りしましょうか?」、「不要です」とお断り。私くらいの年になるとお薬手帳を持ってるのが普通なんですかね。今のところ持たずに済んで幸せです。

8 地名／駅名編

（1）東京駅の切符売り場で

親子連れが来ました。「名古屋、大人1枚、子供1枚」

次はカップルがやって来ました。

↓「熱海、おとこ1枚、おんな1枚」

次は三島由紀夫さんがやって来ました

↓「ミシマユキヲ！」

ユキオさんなら他の駅名でも成立するダジャレですが、ここは新幹線ということで三島由紀夫でないとなりません。大学紛争の最中、彼の割腹自殺のニュースには衝撃が走りました。

（2）駒ヶ岳

木曽にあるのが「キソコマ」、山梨（甲斐）にあるのが「カイコマ」。

それではアメリカに駒ヶ岳があったら、

↓「ベーゴマ」ですかね？

ベーゴマなんて若い人はご存知ないかも。普通の独楽回しもあまり見なくなりましたね。

（3）駅名で

漬物を安く買うなら、

↓「シンコヤス（新子安）」

別れ話をするなら「長津田」

↓「ナガッタ」ことにしてくれ！

「大磯」でお菓子を買うときは急いでください。

↓「オオイソガシ」ですから。

いずれも神奈川県の駅名なので、ちょっと題材がローカル過ぎたかも。

（4）都留市の仕立て屋さん

山梨県の都留市は昭和29年に5町村が合併して誕生しました。

↓その際、仕立て屋さんが一斉に廃業したそうです。

↓みんな「ツルシ」になったから。

昔は背広と言えば仕立ててもらうのが主流で、既製服は「ツルシ」と言って低くみられていましたね。それで仕立て屋さん（テーラー）が街のあちこちに見られたような気がします。就職したときとその後の独身時代にオフクロに注文服を何着か作ってもらいましたが、その後自分で買ったのはせいぜいイージーオーダーです。

（5）東京の地下鉄

昔、共産党を取り締まった駅：「赤坂見附」

↓「アカサカミツケ！」

リンゴを磨いて一所懸命新鮮に見せようとしている果物屋さんが乗る地下鉄：「副都心線」

↓「フクトシンセン！」

ダイエット中で、毎日痩せる決意を新たにしている女の子が乗る地下鉄：「日比谷線」

↓「ヒビヤセン！」

（6）青梅市の停電

夕食時に青梅で停電があったら、みんなご飯をたくさん食べたそうです。

↓「オオメシクライ！」

私は1回に食べる量が少ないので、オオメシクライにはなれそうにありません。胃が小さいのでしょうね。所詮私は「胃大」な人間ではないのです！

（7）竜飛岬

竜飛岬で誕生日を迎えた人には、

↓「タッピ・バースデー！」

40年ほど前、青函トンネルができるまえに1度竜飛岬に行ったことがあります。何もないところでした。ここで誕生パーティをやるという突飛なアイデアは如何？

「トッピバースデイ！」

（8）足摺岬

足摺岬に向かって歩いていると足がつってしまいした。

↓「アシツリ岬」でした。

首がつるよりはまだマシだと諦めました。

（9）空気清浄器

空気清浄器は米国製が優れています。

↓やっぱり「セイジョーキ」はアメリカです。

あるいは「セイジョー学園前」でいいものが見つかるかも。

(10) 中国の言い分

尖閣諸島は中国固有の領土である。
↓中国地方は中国固有の領土である。
↓東京の「シナノマチ」も中国固有の領土である。

領土問題はシロかクロかしかないので解決は難しいですね。

(11) 小田急江ノ島線

相模大野を出ると、「東林間(リンカン)」、「中央林間」、「南林間」と続きます。

↓そろそろ「アブラハム・リンカン」が出てくるかと思ったら、「鶴間」でした!

この辺の学校は夏休みの林間学校で遠くに行く必要はありませんね。

（12）岩手で歯科医院？

東武鉄道が、岩手県で歯科医院のチェーンを始めることにしました。

↓歯科医院チェーンの名前は、「イイハトーブ」です。

そうすると虫歯のある人は、東武鉄道の入社試験に受からないようになるかも。

（13）佐久市で井戸掘り

長野県の佐久市で井戸を掘ったらうまく行きました。

↓「サクシイド」したわけです！

作詞家の方も佐久市に家を建てては如何ですか？

※サクシード＝ｓｕｃｃｅｅｄ：成功する

9　シモネタ／スカトロジー

ネット、音楽、電話、プロジェクター搭載

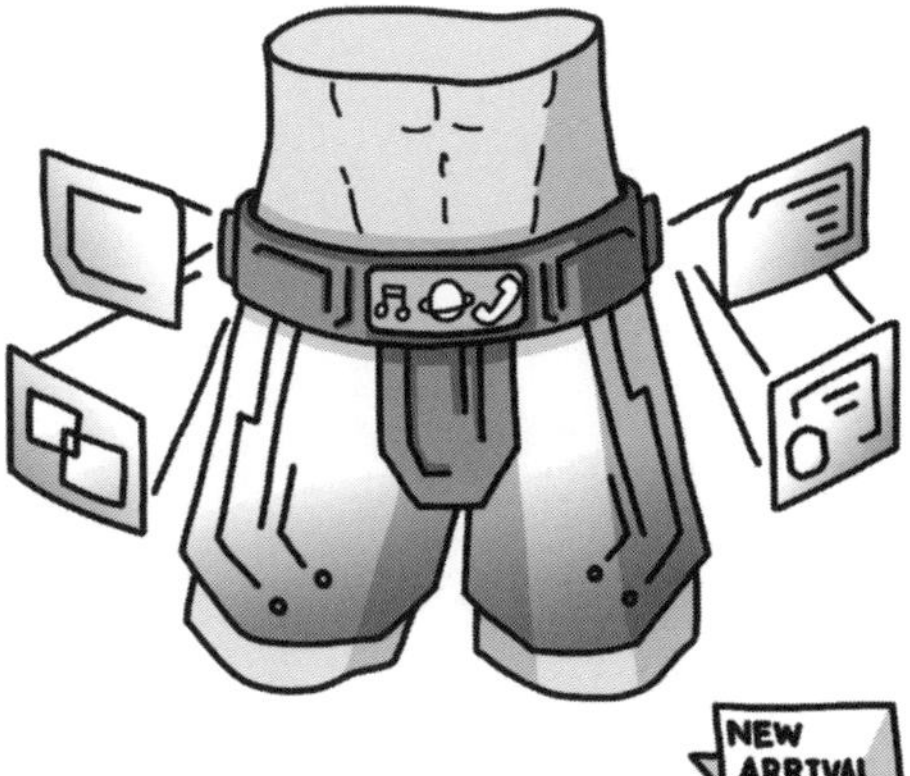

（1）コンドーム

コンドーム、穴が開いてりゃ、

↓「コンドウム」

少子化対策として穴の開いたコンドームを秘かに流通させたら如何？

（2）子づくり

子づくりは男女とも一生懸命に取り組まねばなりません。

↓とくに男子は、「セイシをカケテ！」

じゃあ女性はどうしよう。まさか乱視(ランシ！)になるわけにもいきませんね！

（3）亭主関白？

夜の営みに長い間ご無沙汰なので、女房に言われてしまいました。

↓「亭主淡泊だ」と。しまいには、「タッテの願い」？

・オマケ：男性が年を取ってくると「ガキノタネ」がなくなってきます。

「亭主関白」に対して「かかあ天下」。やっぱり「天下」の方が「関白」より上ですよね。女性は強い！

（4）発起人？

いやらしいことをやろうと言い出す人のことを、
↓「ボッキニン」と言います。
↓ボッキニンさん、タッテの願い！

これは男性だけの飲み会で、大分お酒が入った時点でないとチョットまずい作品です。でもけっこう受けます。

（5）徒然草？

一緒に小便に行くのはツレション。では大の方だったら？

↓「ツレヅレグソ」と言います。

「徒然草」は高校の古典で習ってないと読めませんね。中身はすっかり忘れて、題名だけをシモネタの題材にして、兼好法師様、ゴメンナサイ！

（6）ハイテク？

パンツは、

↓「ハイテク」商品です！

ヒーターをパンツに入れてホットパンツにするとか、その配線がショートしてショートパンツになるとか言ってたヤツがいました。

（7）冷血動物？

オシリの冷たい人は、

↓「レイケツ動物」です。

オシリの暖かい人同士で、

↓「ダンケツ」しましょう！

血を流して「出血」サービスなんてのもありましたね。

（8）ベンツ

小型のベンツを省略して、「ショーベン」と言います。では大型は？

↓汚くてとても私には言えません。誰か私の「ダイベン」をしてください！

ベンツに乗る人は便秘をしない？　ベンツーがよくなるから？

（9）平家物語

更年期の女性が読む本。

↓「ヘイケー物語」

「平家物語」は「ヘイケー物語」と読んでください。これを「ヒラヤ物語」と読むとシャレが成立しません。

10 言葉遊び

（1）言い替えてみると

・顔で笑って、心で笑って

・負けるときもあれば、勝たないときもある

・美女と、ヤジウマ

このなかでは、美女とヤジウマが好きな作品です。男女のカップルに向かって「美女と…」と言うと、一瞬会場に緊張が走ります。そこで「ヤジウマ！」と言うと皆なぜかホッとした雰囲気になりますねえ。

（2）チョット変わりますⅠ

イルカがダイエットすると、
↓「カルイ」になります。
マントヒヒがミスをすると、
↓「トンマヒヒ」になります。
カジキマグロが貧乏すると、
↓「コジキマグロ」になります。

たわいのない言葉遊びです。

(3) チョット変わりますII

仁徳天皇がネコババすると、
↓「イントク天皇」になります。
後醍醐天皇がドラムを叩くと、
↓「コダイコ天皇」になります。

「梅雨時のじめじめした気候のときの天皇↓ジトー天皇」というのもありました。

（4）継続は？

「ケーゾク」は力なり。

↓「サンゾク」も力なり。

ダジャレづくりは半世紀にわたってやっているけれど、上達はしていませんね。

(5) 可愛い子には
可愛い子には「タビ」をはかせろ!

足袋は身近な存在ではなくなりましたね。私も足袋を履いたのは新潟県にいた小学1年生までのこと。それから結婚式で着物を着たときに履かせてもらったのが最後です。このシャレは若い人には通じないかも。

（6）可愛い孫にお酒を！

孫にも「一升！」

私の父は孫（私の息子ども）がお酒が飲める年齢になって、一緒に飲めるのは嬉しかったようです。

11 食べ物／飲み物編

（1）納豆

納豆を食べるときは十分吟味して、
↓「ナットクー」してから食いましょう。
出来の悪い納豆を見たらこう言いましょう。
↓「ナットラン」
お酒の肴にイカナットーや、マグロナットーが人気ですが、硬くて
噛めないのが、
↓「ボルト・ナットー」です。

（2）ラクダの肉

中近東ではラクダの肉を食べるんだそうです。硬そうだったので、食べてる人に訊いてみました。

↓「カメル？」

実際にラクダの肉が柔らかいのか固いのか、食べてみたことがないのでわかりません。あくまでもシャレです。それではラクダイですかね？

（3）焼き鳥屋で
レバーを勧めるときは、
↓「タベレバー」
手羽先を勧めるときは、
↓「食べてってバー！」
ツクネを勧めてもらったら、
↓「よく気がツクネー！」
焼き鳥を取り分けるめいめいの皿は、
↓「トリザラ」

（4）紹興酒

紹興酒を飲んでいるところを写真にとられたら、
↓それが「ショウコー写真」です。
紹興酒のことを英語で
↓「エレベータワイン」と言います。
通夜の席で紹興酒が出されたら、先ず親族の方にお勧めしましょう。
↓「ご親族の方からショーコーをどうぞ！」
このシャレを披露する最適の場所は商工会議所です。（お線香の臭いがしてるかな？）

（5）焼酎

焼酎の飲み方は小さいうちに教えましょう。

↓「ショウチュー学校」時代に！

昔、焼酎はお金のない人が飲むお酒でした。今はすっかりおしゃれな飲み物になってます。入社したての頃、飲んべえの先輩に薩摩白波を専門に飲ませる店に連れて行かれて酔いつぶれたことがあります。あの頃の焼酎は臭かった！

（6）うな重

「うな重食べる？」と訊かれて、うんうんと頷く。

↓これを「ウナジュクー」と言います。

うなぎが捕れなくなったら、このシャレも通じなくなりますね。

（7）クワーズはお好き？

飲みもしないでアメリカのビール、クワーズを避ける人は、

↓「クワーズギライ」です。

ビールは各国で造られていますが、私の好きなのはイギリスのパブで飲むエールやビターです。40年程前に出張でロンドンに行った折、先方の課長と昼食にパブに行きました。この課長の昼食は1パイント（５７０ccくらい）のビールだけでした。いつものことだとか。

（8）ラーメンとスパゲッティ

木久蔵ラーメンで味をしめた木久扇さんがナポリタンも始めました。

どうしてですかと尋ねると、

↓「リョウメン作戦です！」と。

スパゲッティも始めたと聞いて「メンクラッタ」人もいるとか。

（9）冷やし中華

僕の冷やし中華はどこ？　「冷蔵庫に入っているよ」。

↓ああ、「ヒヤシ中」か？

中華料理屋に「冷やし中華始めました」という看板が出ると、夏が来たなあと実感します。

（10）イタリアのワイン

イタリアではトスカナ州のワインが有名です。なかでもピサで造られるワインがとくに知られています。

↓これを「シャトーワイン」といいます。

山中湖のリゾートホテルのワインの会で披露して評判の良かった作品です。実際にトスカナワインを「斜塔ワイン」として売り出したら面白いのでは？　日本限定です。

12 街歩きで見つけたネタ

（1）ネイルサロン

ネイルサロンという看板が出ていました。覗いてみたら、お客さんが居眠りをしていました。

↓「ネイル」サロンでした。

電車の中は本当の「ネイルサロン」ですね。日本は安全で本当にいいなぁと思います。

（2）雨があがった！

街を散歩していたら急に雨が降ってきました。困ったなと思いながら歩いていると、急に雨があがりました。

↓前を見たら「ココカラファイン！」というドラッグストアがありました。

発表地域限定作品。ココカラファインというお店になじみのない人には理解できない作品です。

（3）ワンコインランチ

ワンコインランチという看板が出ていました。どんなものか見ていたら、

↓犬が中に入って行きました！

対抗して「ニャンコイン」なんとかという商品ができませんかね。ネコカフェなんかがいいのかも。

（4）タリーズコーヒー

タリーズでコーヒーを2杯買って500円出したら、

↓「タリーズ！」と言われてしまいました。

そう言われてしまったので照れ隠しに、「すいません私は頭がタリーズでした」と答えておきました。

（5）母親の証券会社？

お母さんたちが続々入って行く証券会社がありました。

↓「オカーサン」証券です。

実際に証券会社の前で株情報に見入っているのは、おじさんが多いですね。オトーサン証券もあっていいのかも。

（6）サバのマークの？

イタリアのファッションメーカーの店頭にサバの看板が掛かっていました。

↓「サバのミッソーニ」です。

海外の有名ブランドには興味も縁もありませんが、このミッソーニというブランドには親しみを感じます。

13　赤ちゃん命名

（1）小田さん

小田さんの家に女の子が生まれたら、マリと名付けましょう。

↓「オダマリ！」

あっても不思議でない名前でしょう？　おしゃべりな女の子に育ちそうですね。

(2) 中田さん

中田さんの家に女の子が生まれたら、ルミと名付けましょう。

↓「ナカダルミ！」

昔同じ部署で仕事をしていた中田さんを見て思いついた作品です。ご本人も気に入ってくれたと見えて、自分の持ち物に「ルミ」とサインを入れるようになりました。

（3）後藤さん

後藤さんの家に頭の大きな男の子が生まれたら、シンと名付けましょう。

↓「ゴトーシン！」

私も頭が大きくて身長はそれほど高くないので、後藤君に近いのかも。

（4）伴さん

伴さんの家に女の子が生まれたら、キンコと名付けましょう。

↓「キンコバン！」

昔酔った勢いで経理担当の部長に、「キンコバン、キンコバン！」と言って絡んだことがありました。ごめんなさい！

（5）越智さん

越智さんの家に女の子が生まれたら、ミヤコと名付けましょう。

↓「ミヤコオチ！」

ミヤコさんは同じ社内に、越智さんは取引先にいました。越智さんに奥さんの名前を確認しておけばよかったなあ…。

（6）障子のある部屋で生まれた女の子

障子のある部屋で女の子が生まれたら、メアリーと名付けましょう。

↓「障子にメアリー！」

壁のある部屋（当たり前ですが）で生まれた女の子には、ミミですかね。↓壁にミミあり、障子にメアリー。

◇オマケのオマケ＝カラオケで歌うのは？
長崎は今日も「ダメ」だった！
君は「サシミ」の妻だから
また会う「暇」で

ちょっと古い歌ばかりですが…。お粗末でした！

あとがき

昔からダジャレが大好きでした。30歳で結婚する前後に、女房に言われました。「40歳になっても、そんなくだらないことを言ってる積り?」

↓もう71歳です!

今回ダジャレをまとめて本にする話が持ち上がったとき、女房は言いました。「どうせ売れないで在庫がたまるでしょうね。でも50冊くらいだったら家に置いといていいわよ。あなたの葬式の会葬御礼に配るから」!

この本を作るきっかけになったのは、2018年7月に発行した文集「芥川龍之介の後輩たち」(両国高校64回生卒業生文集編集委員会・編)に載せた作品です。それ以降の作品とコメントを加えて一冊の本に纏めました。

文集掲載の文章からこの本に発展させる過程で、ごまめ書房代表の関田孝正君に大変お世話になりました。また、まずダジャレの一部を発表するきっかけとなった文集作成の発起人である岸江孝男君、同編集委員の白川公一郎君にも感謝します。

令和元年12月28日

山田　徹

【著者プロフィール】

山田　徹（やまだ・とおる）

昭和23年新潟県生まれ。７歳から30歳まで葛飾区の新小岩で過ごし、結婚後は横浜市に居住。

都立両国高校、東京大学工学部卒業。

大学卒業後、65歳までサラリーマン生活（延べ10社に勤務。飲み仲間がたくさんできました）。

趣味（暇つぶし）：旅行（近年は女房と海外も）、読書（海外のミステリーを好む）、コンサート通い（オーケストラの定期演奏会など）、ＮＨＫ語学講座の聞き流し、飲み会の設定・招集など。

ダジャレ工房

２０２０年３月１日初版発行

著　者　山田　徹

発行者　関田孝正

発行所　ごまめ書房

住　所　〒２７０－０１０７
千葉県流山市西深井３３９－２

電　話　０４－７１５６－７１２１

ＦＡＸ　０４－７１５６－７１２２

振　替　００１８０－８－４６２７０８

印刷・製本　モリモト印刷株式会社

ＩＳＢＮ９７８－４－９０２３８７－２７－８

Ｃ０２９２　￥１０００Ｅ